LUIS SEPÚLVEDA
HISTORIA DE UNA GAVIOTA Y DEL GATO QUE LE ENSEÑÓ A VOLAR

Ilustraciones de Miles Hyman

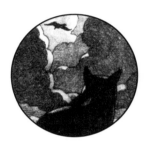

MAXI
TUSQUETS
EDITORES

Sepúlveda, Luis
     Historia de una gaviota y del gato que le enseñó a volar. - 1a ed. 8a reimp. -
Ciudad Autónoma de Buenos Aires : Tusquets Editores, 2016.
     144 p. : il. ; 19x13 cm. - (Maxi Tusquets; 013-09A)

     ISBN 978-987-1544-67-7

     1. Narrativa Chilena. 2. Novela. I. Título
     CDD Ch863

1.ª edición argentina en colección Maxi: marzo de 2010
8.ª reimpresión argentina en colección Maxi: marzo de 2016

© Luis Sepúlveda, 1996

Ilustración de la cubierta: Miles Hyman, especialmente realizada para
esta edición, al igual que las que acompañan este texto. © Miles Hyman
y Éditions Anne Marie Métaillé, 1996.

Fotografía del autor: © Louis Monier

Diseño de la colección: FERRATERCAMPINSMORALES

Reservados todos los derechos de esta edición para
© Tusquets Editores, S.A. - Av. Independencia 1682 - (C1100ABQ) Buenos Aires
info@tusquets.com.ar - www.tusquetseditores.com
ISBN: 978-987-1544-67-7
Hecho el depósito que previene la Ley 11.723
Impreso en el mes de marzo de 2016 en Artes Gráficas Delsur
Almirante Solier 2450 - Sarandí - Pcia. de Buenos Aires
Impreso en la Argentina - Printed in Argentina

Índice

A mis hijos Sebastián, Max y León,
los mejores tripulantes de mis sueños;

al puerto de Hamburgo,
porque allí subieron a bordo;

y al gato Zorbas, por supuesto.

Primera parte

1
Mar del Norte

–¡Banco de arenques a babor! –anunció la gaviota vigía, y la bandada del Faro de la Arena Roja recibió la noticia con graznidos de alivio.

Llevaban seis horas de vuelo sin interrupciones y, aunque las gaviotas piloto las habían conducido por corrientes de aires cálidos que hicieron placentero el planear sobre el océano, sentían la necesidad de reponer fuerzas, y qué mejor para ello que un buen atracón de arenques.

Volaban sobre la desembocadura del río Elba, en el mar del Norte. Desde la altura veían los barcos formados uno tras otro, como si fueran pacientes y disciplinados animales acuáticos esperando turno para salir a mar abierto y orientar allí sus rumbos hacia todos los puertos del planeta.

A Kengah, una gaviota de plumas color plata, le gustaba especialmente observar las banderas de los barcos, pues sabía que cada una de ellas representaba una forma de hablar, de nombrar las mismas cosas con palabras diferentes.

–Qué difícil lo tienen los humanos. Las gaviotas, en cambio, graznamos igual en todo el mundo –comentó una vez Kengah a una de sus compañeras de vuelo.

–Así es. Y lo más notable es que a veces hasta consiguen entenderse –graznó la aludida.

Más allá de la línea de la costa, el paisaje se tornaba de un verde intenso. Era un enorme prado en el que destacaban los rebaños de ovejas pastando al amparo de los diques y las perezosas aspas de los molinos de viento.

Siguiendo las instrucciones de las gaviotas piloto, la bandada del Faro de la Arena Roja tomó una corriente de aire frío y se lanzó en picado sobre el cardumen de arenques. Ciento veinte cuerpos perforaron el agua como saetas y, al salir a la superficie, cada gaviota sostenía un arenque en el pico.

Sabrosos arenques. Sabrosos y gordos. Justamente lo que necesitaban para recuperar energías antes de continuar el vuelo hasta Den Helder, donde se les uniría la bandada de las islas Frisias.

El plan de vuelo tenía previsto seguir luego hasta el paso de Calais y el canal de la Mancha, donde serían recibidas por las bandadas de la bahía del Sena y Saint Malo, con las que volarían juntas hasta alcanzar el cielo de Vizcaya.

Para entonces serían unas mil gaviotas que, como una rápida nube de color plata, irían en aumento con la incorporación de las bandadas de Belle Île, Oléron, los cabos de Machichaco, del Ajo y de Peñas. Cuando todas las gaviotas autorizadas por la ley del mar y de los vientos volaran sobre Vizcaya, podría comenzar la gran convención de las gaviotas de los mares Báltico, del Norte y Atlántico.

Sería un bello encuentro. En eso pensaba Kengah mientras daba cuenta de su tercer arenque. Como todos los años, se escucharían interesantes historias, especialmente las narradas por las gaviotas del cabo de Peñas, infatigables viajeras que a veces volaban hasta las islas Canarias o las de Cabo Verde.

Las hembras como ella se entregarían a grandes festines de sardinas y calamares mientras los machos acomodarían los nidos al borde de un acantilado. En ellos pondrían los huevos, los empollarían a salvo de cualquier amenaza y, cuando a los polluelos les crecieran las primeras plumas resistentes, llegaría la parte más hermosa del viaje: enseñarles a volar en el cielo de Vizcaya.

Kengah hundió la cabeza para atrapar el cuarto arenque, y por eso no escuchó el graznido de alarma que estremeció el aire:

–¡Peligro a estribor! ¡Despegue de emergencia!

Cuando Kengah sacó la cabeza del agua se vio sola en la inmensidad del océano.

2
Un gato grande, negro y gordo

–Me da mucha pena dejarte solo –dijo el niño acariciando el lomo del gato grande, negro y gordo.

Luego continuó con la tarea de meter cosas en la mochila. Tomaba un casete del grupo Pur, uno de sus favoritos, lo guardaba, dudaba, lo sacaba, y no sabía si volver a meterlo en la mochila o dejarlo sobre la mesilla. Era difícil decidir qué llevarse para las vacaciones y qué dejar en casa.

El gato grande, negro y gordo lo miraba atento, sentado en el alféizar de la ventana, su lugar favorito.

–¿Guardé las gafas de nadar? Zorbas, ¿has

visto mis gafas de nadar? No. No las conoces porque no te gusta el agua. No sabes lo que te pierdes. Nadar es uno de los deportes más divertidos. ¿Unas galletitas? –ofreció el niño tomando la caja de galletas para gatos.

Le sirvió una porción más que generosa, y el gato grande, negro y gordo empezó a masticar lentamente para prolongar el placer. ¡Qué galletas tan deliciosas, crujientes y con sabor a pescado!

«Es un gran chico», pensó el gato con la boca llena. «¿Cómo que un gran chico? ¡Es el mejor!», se corrigió al tragar.

Zorbas, el gato grande, negro y gordo, tenía muy buenas razones para pensar así de aquel niño que no sólo gastaba el dinero de su mesada en esas deliciosas galletas, sino que le mantenía siempre limpia la caja con gravilla donde aliviaba el cuerpo y lo instruía hablándole de cosas importantes.

Solían pasar muchas horas juntos en el balcón, mirando el incesante ajetreo del puerto de Hamburgo, y allí, por ejemplo, el niño le decía:

–¿Ves ese barco, Zorbas? ¿Sabes de dónde viene? Pues de Liberia, que es un país africano muy interesante porque lo fundaron personas

que antes eran esclavos. Cuando crezca, seré capitán de un gran velero e iré a Liberia. Y tú vendrás conmigo, Zorbas. Serás un buen gato de mar. Estoy seguro.

Como todos los chicos de puerto, aquél también soñaba con viajes a países lejanos. El gato grande, negro y gordo lo escuchaba ronroneando, y también se veía a bordo de un velero surcando los mares.

Sí. El gato grande, negro y gordo sentía un gran cariño por el niño, y no olvidaba que le debía la vida.

Zorbas contrajo aquella deuda precisamente el día en que abandonó el canasto que le servía de morada junto a sus siete hermanos.

La leche de su madre era tibia y dulce, pero él quería probar una de esas cabezas de pescado que las gentes del mercado daban a los gatos grandes. Y no pensaba comérsela entera, no, su idea era arrastrarla hasta el canasto y allí maullar a sus hermanos:

—¡Basta ya de chupar a nuestra pobre madre! ¿Es que no ven cómo se ha puesto de flaca? Coman pescado, que es el alimento de los gatos de puerto.

Pocos días antes de abandonar el canasto su madre le había maullado muy seriamente:

–Eres ágil y despierto, eso está muy bien, pero debes cuidar tus movimientos y no salir del canasto. Mañana o pasado vendrán los humanos y decidirán sobre tu destino y el de tus hermanos. Con seguridad les llamarán con nombres simpáticos y tendrán la comida asegurada. Es una gran suerte que hayan nacido en un puerto, pues en los puertos quieren y protegen a los gatos. Lo único que los humanos esperan de nosotros es que mantengamos alejadas a las ratas. Sí, hijo. Ser un gato de puerto es una gran suerte, pero tú debes tener cuidado porque en ti hay algo que puede hacerte desdichado. Hijo, si miras a tus hermanos verás que todos son grises y tienen la piel rayada como los tigres. Tú, en cambio, has nacido enteramente negro, salvo ese pequeño mechón blanco que luces bajo la barbilla. Hay humanos que creen que los gatos negros traen mala suerte, por eso, hijo, no salgas del canasto.

Pero Zorbas, que por entonces era como una pequeña bola de carbón, abandonó el canasto. Quería probar una de esas cabezas de pescado. Y también quería ver un poco de mundo.

No llegó muy lejos. Trotando hacia un

puesto de pescado con el rabo muy erguido y vibrante, pasó frente a un gran pájaro que dormitaba con la cabeza ladeada. Era un pájaro muy feo y con un buche enorme bajo el pico. De pronto, el pequeño gato negro sintió que el suelo se alejaba de sus patas, y sin comprender lo que ocurría se encontró dando volteretas en el aire. Recordando una de las primeras enseñanzas de su madre, buscó un lugar donde caer sobre las cuatro patas, pero abajo lo esperaba el pájaro con el pico abierto. Cayó en el buche, que estaba muy oscuro y olía horrible.

–¡Déjame salir! ¡Déjame salir! –maulló desesperado.

–Vaya. Puedes hablar –graznó el pájaro sin abrir el pico–. ¿Qué bicho eres?

–¡O me dejas salir o te rasguño! –maulló amenazante.

–Sospecho que eres una rana. ¿Eres una rana? –preguntó el pájaro siempre con el pico cerrado.

–¡Me ahogo, pájaro idiota! –gritó el pequeño gato.

–Sí. Eres una rana. Una rana negra. Qué curioso.

–¡Soy un gato y estoy furioso! ¡Déjame salir o lo lamentarás! –maulló el pequeño Zorbas buscando dónde clavar sus garras en el oscuro buche.

–¿Crees que no sé distinguir un gato de una rana? Los gatos son peludos, veloces y huelen a pantufla. Tú eres una rana. Una vez me comí varias ranas y no estaban mal, pero eran verdes. Oye, ¿no serás una rana venenosa? –graznó preocupado el pájaro.

–¡Sí! ¡Soy una rana venenosa y además traigo mala suerte!

–¡Qué dilema! Una vez me tragué un erizo venenoso y no me pasó nada. ¡Qué dilema! ¿Te trago o te escupo? –meditó el pájaro, pero no graznó nada más porque se agitó, batió las alas y finalmente abrió el pico.

El pequeño Zorbas, enteramente mojado de babas, asomó la cabeza y saltó a tierra. Entonces vio al niño, que tenía al pájaro agarrado por el cogote y lo sacudía.

–¡Debes de estar ciego, pelícano imbécil! Ven, gatito. Casi terminas en la panza de este pajarraco –dijo el niño, y lo tomó en brazos.

Así había comenzado aquella amistad que ya duraba cinco años.

El beso del niño en su cabeza lo alejó de los recuerdos. Lo vio acomodarse la mochila, caminar hasta la puerta y desde allí despedirse una vez más.

—Nos vemos dentro de cuatro semanas. Pensaré en ti todos los días, Zorbas. Te lo prometo.

—¡Adiós, Zorbas! ¡Adiós, gordinflón! —se despidieron los dos hermanos menores del niño.

El gato grande, negro y gordo oyó cómo cerraban la puerta con doble llave y corrió hasta una ventana que daba a la calle para ver a su familia adoptiva antes de que se alejara.

El gato grande, negro y gordo respiró complacido. Durante cuatro semanas sería amo y señor del piso. Un amigo de la familia iría cada día para abrirle una lata de comida y limpiar su caja de gravilla. Cuatro semanas para holgazanear en los sillones, en las camas, o para salir al balcón, trepar al tejado, saltar de ahí a las ramas del viejo castaño y bajar por el tronco hasta el patio interior, donde acostumbraba a reunirse con los otros gatos del barrio. No se aburriría. De ninguna manera.

Así pensaba Zorbas, el gato grande, negro y gordo, porque no sabía lo que se le vendría encima en las próximas horas.

3
Hamburgo a la vista

Kengah desplegó las alas para levantar el vuelo, pero la espesa ola fue más rápida y la cubrió enteramente. Cuando salió a flote, la luz del día había desaparecido y, tras sacudir la cabeza con energía, comprendió que la maldición de los mares le oscurecía la vista.

Kengah, la gaviota de plumas de color plata, hundió varias veces la cabeza, hasta que unos destellos de luz llegaron a sus pupilas cubiertas de petróleo. La mancha viscosa, la peste negra, le pegaba las alas al cuerpo, así que empezó a mover las patas con la esperanza de nadar rápido y salir del centro de la marea negra.

Con todos los músculos acalambrados por el esfuerzo alcanzó por fin el límite de la mancha de petróleo y el fresco contacto con el agua limpia. Cuando, a fuerza de parpadear y hundir la cabeza consiguió limpiarse los ojos, miró al cielo, no vio más que algunas nubes que se interponían entre el mar y la inmensidad de la bóveda celeste. Sus compañeras de la bandada del Faro de la Arena Roja volarían ya lejos, muy lejos.

Era la ley. Ella también había visto a otras gaviotas sorprendidas por las mortíferas mareas negras y, pese a los deseos de bajar a brindarles una ayuda tan inútil como imposible, se había alejado, respetando la ley que prohíbe presenciar la muerte de las compañeras.

Con las alas inmovilizadas, pegadas al cuerpo, las gaviotas eran presas fáciles para los grandes peces, o morían lentamente, asfixiadas por el petróleo que, metiéndose entre las plumas, les tapaba todos los poros.

Esa era la suerte que le esperaba, y deseó desaparecer pronto entre las fauces de un gran pez.

La mancha negra. La peste negra. Mientras esperaba el fatal desenlace, Kengah maldijo a los humanos.

–Pero no a todos. No debo ser injusta –graznó débilmente.

Muchas veces, desde la altura vio cómo grandes barcos petroleros aprovechaban los días de niebla costera para alejarse mar adentro a lavar sus tanques. Arrojaban al mar miles de litros de una sustancia espesa y pestilente que era arrastrada por las olas. Pero también vio que a veces unas pequeñas embarcaciones se acercaban a los barcos petroleros y les impedían el vaciado de los tanques. Por desgracia aquellas naves adornadas con los colores del arco iris no llegaban siempre a tiempo a impedir el envenenamiento de los mares.

Kengah pasó las horas más largas de su vida posada sobre el agua, preguntándose aterrada si acaso le esperaba la más terrible de las muertes; peor que ser devorada por un pez, peor que sufrir la angustia de la asfixia, era morir de hambre.

Desesperada ante la idea de una muerte lenta, se agitó entera y con asombro comprobó que el petróleo no le había pegado las alas al cuerpo. Tenía las plumas impregnadas de aquella sustancia espesa, pero por lo menos podía extenderlas.

–Tal vez tenga todavía una posibilidad de

salir de aquí y, quién sabe si volando alto, muy alto, el sol derretirá el petróleo –graznó Kengah.

Hasta su memoria acudió una historia escuchada a una vieja gaviota de las islas Frisias que hablaba de un humano llamado Ícaro, quien para cumplir con el sueño de volar se había confeccionado alas con plumas de águila, y había volado, alto, hasta muy cerca del sol, tanto que su calor derritió la cera con que había pegado las plumas y cayó.

Kengah batió enérgicamente las alas, encogió las patas, se elevó un par de palmos y se fue de bruces al agua. Antes de intentarlo nuevamente sumergió el cuerpo y movió las alas bajo el agua. Esta vez se elevó más de un metro antes de caer.

El maldito petróleo le pegaba las plumas de la rabadilla, de tal manera que no conseguía timonear el ascenso. Una vez más se sumergió y con el pico tiró de la capa de inmundicia que le cubría la cola. Soportó el dolor de las plumas arrancadas, hasta que finalmente comprobó que su parte trasera estaba un poco menos sucia.

Al quinto intento Kengah consiguió levantar el vuelo.

Batía las alas con desesperación, pues el

peso de la capa de petróleo no le permitía planear. Un solo descanso y se iría abajo. Por fortuna era una gaviota joven y sus músculos respondían en buena forma.

Ganó altura. Sin dejar de aletear miró hacia abajo y vio la costa apenas perfilada como una línea blanca. Vio también algunos barcos moviéndose cual diminutos objetos sobre un paño azul. Ganó más altura, pero los esperados efectos del sol no la alcanzaban. Tal vez sus rayos prodigaban un calor muy débil, o la capa de petróleo era demasiado espesa.

Kengah comprendió que las fuerzas no le durarían demasiado y, buscando un lugar donde descender, voló tierra adentro, siguiendo la serpenteante línea verde del Elba.

El movimiento de sus alas se fue tornando cada vez más pesado y lento. Perdía fuerza. Ya no volaba tan alto.

En un desesperado intento por recobrar altura cerró los ojos y batió las alas con sus últimas energías. No supo cuánto tiempo mantuvo los ojos cerrados, pero al abrirlos volaba sobre una alta torre adornada con una veleta de oro.

–¡San Miguel! –graznó al reconocer la torre de la iglesia hamburgueña.

Sus alas se negaron a continuar el vuelo.

4
El fin de un vuelo

El gato grande, negro y gordo tomaba el sol en el balcón, ronroneando y meditando acerca de lo bien que se estaba allí, recibiendo los cálidos rayos panza arriba, con las cuatro patas muy encogidas y el rabo estirado.

En el preciso momento en que giraba perezosamente el cuerpo para que el sol le calentara el lomo, escuchó el zumbido provocado por un objeto volador que no supo identificar y que se acercaba a gran velocidad. Alerta, dio un salto, se paró sobre las cuatro patas y apenas alcanzó a echarse a un lado para esquivar a la gaviota que cayó en el balcón.

Era un ave muy sucia. Tenía todo el cuerpo

impregnado de una sustancia oscura y mal-oliente.

Zorbas se acercó y la gaviota intentó incorporarse arrastrando las alas.

–No ha sido un aterrizaje muy elegante –maulló.

–Lo siento. No pude evitarlo –reconoció la gaviota.

–Oye, te ves fatal. ¿Qué es eso que tienes en el cuerpo? ¡Y cómo apestas! –maulló Zorbas.

–Me ha alcanzado una marea negra. La peste negra. La maldición de los mares. Voy a morir –graznó quejumbrosa la gaviota.

–¿Morir? No digas eso. Estás cansada y sucia. Eso es todo. ¿Por qué no vuelas hasta el zoo? No está lejos de aquí y allí hay veterinarios que podrán ayudarte –maulló Zorbas.

–No puedo. Ha sido mi vuelo final –graznó la gaviota con voz casi inaudible, y cerró los ojos.

–¡No te mueras! Descansa un poco y verás como te repones. ¿Tienes hambre? Te traeré un poco de mi comida, pero no te mueras –pidió Zorbas acercándose a la desfallecida gaviota.

Venciendo la repugnancia, el gato le lamió

la cabeza. Aquella sustancia que la cubría sabía además horrible. Al pasarle la lengua por el cuello notó que la respiración del ave se tornaba cada vez más débil.

–Escucha, amiga, quiero ayudarte pero no sé cómo. Procura descansar mientras voy a consultar qué se hace con una gaviota enferma –maulló Zorbas antes de trepar al tejado.

Se alejaba en dirección al castaño cuando escuchó que la gaviota lo llamaba.

–¿Quieres que te deje un poco de mi comida? –sugirió algo aliviado.

–Voy a poner un huevo. Con las últimas fuerzas que me quedan voy a poner un huevo. Amigo gato, se ve que eres un animal bueno y de nobles sentimientos. Por eso voy a pedirte que me hagas tres promesas. ¿Me las harás? –graznó sacudiendo torpemente las patas en un fallido intento por ponerse de pie.

Zorbas pensó que la pobre gaviota deliraba y que con un pájaro en tan penoso estado sólo se podía ser generoso.

–Te prometo lo que quieras. Pero ahora descansa –maulló compasivo.

–No tengo tiempo para descansar. Prométeme que no te comerás el huevo –graznó abriendo los ojos.

–Prometo no comerme el huevo –repitió Zorbas.

–Prométeme que lo cuidarás hasta que nazca el pollito –graznó alzando el cuello.

–Prometo que cuidaré el huevo hasta que nazca el pollito.

–Y prométeme que le enseñarás a volar –graznó mirando fijamente a los ojos del gato.

Entonces Zorbas supuso que esa desafortunada gaviota no sólo deliraba, sino que estaba completamente loca.

–Prometo enseñarle a volar. Y ahora descansa, que voy en busca de ayuda –maulló Zorbas trepando de un salto hasta el tejado.

Kengah miró al cielo, agradeció todos los buenos vientos que la habían acompañado y, justo cuando exhalaba el último suspiro, un huevito blanco con pintitas azules rodó junto a su cuerpo impregnado de petróleo.

5
En busca de consejo

Zorbas bajó rápidamente por el tronco del castaño, cruzó el patio interior a toda prisa para evitar ser visto por unos perros vagabundos, salió a la calle, se aseguró de que no venía ningún auto, la cruzó y corrió en dirección del Cuneo, un restaurante italiano del puerto.

Dos gatos que husmeaban en un cubo de basura lo vieron pasar.

–¡Ay, compadre! ¿Ve lo mismo que yo? Pero qué gordito tan lindo –maulló uno.

–Sí, compadre. Y qué negro es. Más que una bolita de grasa parece una bolita de alquitrán. ¿Adónde vas, bolita de alquitrán? –preguntó el otro.

Aunque iba muy preocupado por la gaviota, Zorbas no estaba dispuesto a dejar pasar las provocaciones de esos dos facinerosos. De tal manera que detuvo la carrera, erizó la piel del lomo y saltó sobre el cubo de basura.

Lentamente estiró una pata delantera, sacó una garra larga como una cerilla, y la acercó a la cara de uno de los provocadores.

–¿Te gusta? Pues tengo nueve más. ¿Quieres probarlas en el espinazo? –maulló con toda calma.

Con la garra frente a los ojos, el gato tragó saliva antes de responder.

–No, jefe. ¡Qué día tan bonito! ¿No le parece? –maulló sin dejar de mirar la garra.

–¿Y tú? ¿Qué me dices? –increpó Zorbas al otro gato.

–Yo también digo que hace buen día, agradable para pasear, aunque un poquito frío.

Arreglado el asunto, Zorbas retomó el camino hasta llegar frente a la puerta del restaurante. Dentro, los mozos disponían las mesas para los comensales del mediodía. Zorbas maulló tres veces y esperó sentado en el rellano. A los pocos minutos se le acercó Secretario, un gato romano muy flaco y con apenas dos bigotes, uno a cada lado de la nariz.

–Lo sentimos mucho, pero si no ha hecho reserva no podremos atenderlo. Estamos al completo –maulló a manera de saludo. Iba a agregar algo más, pero Zorbas lo detuvo.

–Necesito maullar con Colonello. Es urgente.

–¡Urgente! ¡Siempre con urgencias de última hora! Veré qué puedo hacer, pero sólo porque se trata de una urgencia –maulló Secretario y regresó al interior del restaurante.

Colonello era un gato de edad indefinible. Algunos decían que tenía tantos años como el restaurante que lo cobijaba; otros sostenían que era más viejo todavía. Pero su edad no importaba, porque Colonello poseía un curioso talento para aconsejar a los que se encontraban en dificultades y, aunque él jamás solucionaba ningún conflicto, sus consejos por lo menos reconfortaban. Por viejo y talentoso, Colonello era toda una autoridad entre los gatos del puerto.

Secretario regresó a la carrera.

–Sígueme. Colonello te recibirá, excepcionalmente –maulló.

Zorbas lo siguió. Pasando bajo las mesas y las sillas del comedor llegaron hasta la puerta de la bodega. Bajaron a saltos los peldaños de una estrecha escalera y abajo encontraron a Colonello, con el rabo muy erguido, revisando los corchos de unas botellas de champagne.

–*Porca miseria!* Los ratones han roído los corchos del mejor champagne de la casa. ¡Zorbas! *Caro amico!* –saludó Colonello, que acostumbraba a maullar palabras en italiano.

–Disculpa que te moleste en pleno trabajo, pero tengo un grave problema y necesito de tus consejos –maulló Zorbas.

–Estoy para servirte, *caro amico*. ¡Secretario! Sírvale al *mio amico* un poco de esa *lasagna al jomo* que nos dieron por la mañana –ordenó Colonello.

–¡Pero si se la comió toda! ¡No me dejó ni olerla! –se quejó Secretario.

Zorbas se lo agradeció, pero no tenía hambre, y rápidamente refirió la accidentada llegada de la gaviota, su lamentable estado y las promesas que se viera obligado a hacerle. El viejo gato escuchó en silencio, luego meditó mientras acariciaba sus largos bigotes y finalmente maulló enérgico:

–*Porca miseria!* Hay que ayudar a esa pobre gaviota a que pueda emprender el vuelo.

–Sí, ¿pero cómo? –maulló Zorbas.

–Lo mejor será consultar a Sabelotodo –indicó Secretario.

–Es exactamente lo que iba a sugerir. ¿Por qué me sacará éste los maullidos de la boca? –reclamó Colonello.

–Sí. Es una buena idea. Iré a ver a Sabelotodo –maulló Zorbas.

–Iremos todos. Los problemas de un gato del puerto son problemas de todos los gatos del puerto –declaró solemne Colonello.

Los tres gatos salieron de la bodega y, cruzando el laberinto de patios interiores de las casas alineadas frente al puerto, corrieron hacia el templo de Sabelotodo.

6
Un lugar curioso

Sabelotodo vivía en cierto lugar bastante difícil de describir, porque a primera vista podía ser una desordenada tienda de objetos extraños, un museo de extravagancias, un depósito de máquinas inservibles, la biblioteca más caótica del mundo o el laboratorio de algún sabio inventor de artefactos imposibles de nombrar. Pero no era nada de eso o, mejor dicho, era mucho más que todo eso.

El lugar se llamaba HARRY – BAZAR DEL PUERTO, y su dueño, Harry, era un viejo lobo de mar que durante cincuenta años de navegación por los siete mares se dedicó a coleccionar toda clase de objetos en los cientos de puertos que había conocido.

Cuando la vejez se instaló en sus huesos, Harry decidió cambiar la vida de navegante por la de marinero en tierra, y abrió el bazar con todos los objetos reunidos. Alquiló una casa de tres plantas en una calle del puerto, pero enseguida se le quedó pequeña para exponer sus insólitas colecciones. Alquiló entonces la casa de al lado, de dos plantas, y tampoco fue suficiente. Finalmente, tras alquilar una tercera casa, consiguió colocar todos sus objetos, dispuestos eso sí según un particularísimo sentido del orden.

En las tres casas, unidas por pasadizos y estrechas escaleras, había cerca de un millón de objetos, entre los que cabe destacar: 7200 sombreros de alas flexibles para que no se los llevara el viento; 160 ruedas de timón de barcos mareados a fuerzas de dar vueltas al mundo; 245 fanales de embarcaciones que desafiaron las más espesas nieblas; 12 telégrafos de mandos aporreados por las manos de iracundos capitanes; 256 brújulas que jamás perdieron el norte; 6 elefantes de madera de tamaño natural; 2 jirafas disecadas en actitud de contemplar la sabana; 1 oso polar disecado en cuyo vientre yacía la mano derecha, también disecada, de un explorador noruego; 700 ventiladores cuyas aspas al girar recordaban las frescas brisas de los atardeceres en el Trópico; 1200 hamacas de yute que garantizaban los mejores sueños; 1300 marionetas de Sumatra que sólo habían interpretado historias de amor; 123 proyectores de diapositivas que mostraban paisajes en los que siempre se podía ser feliz; 54.000 novelas en cuarenta y siete idiomas; 2 reproducciones de la Torre Eiffel, construida la primera con medio millón de alfileres de sastre, y con trescientos mil mondadientes la segunda; 3 cañones de barcos corsarios ingleses; 17 anclas encontradas en el fondo del mar del Norte; 2000 cuadros de puestas de sol; 17 máquinas de escribir que habían pertenecido a famosos escritores; 128 calzoncillos largos de franela para hombres de más de dos metros de estatura; 7 fracs para enanos; 500 pipas de espuma de mar; 1 astrolabio obstinado en señalar la Cruz del Sur; 7 caracolas gigantes de las que provenían lejanas resonancias de míticos naufragios; 12 kilómetros de seda roja; 2 escotillas de submarinos; y muchas otras cosas que sería largo nombrar.

Para visitar el bazar había que pagar una entrada y, una vez dentro, se precisaba de un gran sentido de la orientación para no perderse en su laberinto de cuartos sin ventanas, largos pasillos y escaleras angostas.

Harry tenía dos mascotas: Matías, un chimpancé que ejercía de boletero y vigilante de seguridad, jugaba a las damas con el viejo marino –por cierto muy mal–, bebía cerveza y siempre intentaba dar cambio de menos. La otra mascota era Sabelotodo, un gato gris, pequeño y flaco, que dedicaba la mayor parte del tiempo al estudio de los miles de libros que allí había.

Colonello, Secretario y Zorbas entraron en el bazar con los rabos muy levantados. Lamentaron no ver a Harry detrás de la boletería, porque el viejo siempre tenía palabras cariñosas y alguna salchicha para ellos.

–¡Un momento, sacos de pulgas! Olvidan pagar la entrada –chilló Matías.

–¿Desde cuándo pagan los gatos? –protestó Secretario.

–El aviso de la puerta pone: «Entrada: dos marcos». En ninguna parte está escrito que los gatos entren gratis. Ocho marcos o se largan –chilló enérgico el chimpancé.

–Señor mono, me temo que las matemáticas no son su fuerte –maulló Secretario.

—Es exactamente lo que iba yo a decir. Una vez más me quita usted los maullidos de la boca —se quejó Colonello.

—¡Bla, bla, bla! O pagan o se largan —amenazó Matías.

Zorbas saltó al otro lado de la boletería y miró fijamente a los ojos del chimpancé. Sostuvo la mirada hasta que Matías parpadeó y empezó a lagrimear.

—Bueno, en realidad son seis marcos. Un error lo comete cualquiera —chilló tímidamente.

Zorbas, sin dejar de mirarlo a los ojos, sacó una garra de su pata delantera derecha.

—¿Te gusta, Matías? Pues tengo nueve más. ¿Te las imaginas clavadas en ese culo rojo que siempre llevas al aire? —maulló tranquilamente.

—Por esta vez haré la vista gorda. Pueden pasar —aceptó simulando calma el chimpancé.

Los tres gatos, con los rabos orgullosamente levantados, desaparecieron en el laberinto de pasillos.

7
Un gato que lo sabe todo

–¡Terrible! ¡Terrible! ¡Ha ocurrido algo terrible! –maulló Sabelotodo al verlos llegar.

Se paseaba nervioso frente a un enorme libro abierto en el suelo, y a ratos se llevaba las patas delanteras a la cabeza. Se veía verdaderamente desconsolado.

–¿Qué ha pasado? –preguntó Secretario.

–Es exactamente lo que iba a preguntar yo. Al parecer eso de quitarme los maullidos de la boca es una obsesión –observó Colonello.

–Vamos. No será para tanto –sugirió Zorbas.

–¿Que no es para tanto? ¡Es terrible! ¡Terrible! Esos condenados ratones se han comido una página entera del atlas. El mapa de Madagascar ha desaparecido. ¡Es terrible! –insistió Sabelotodo tirándose de los bigotes.

–Secretario, recuérdeme que debo organizar una batida contra esos devoradores de Masacar... Masgacar..., en fin, ya usted sabe a qué me refiero –maulló Colonello.

–Madagascar –precisó Secretario.

–Siga, siga quitándome los maullidos de la boca. *Porca miseria!* –exclamó Colonello.

–Te echaremos una mano, Sabelotodo, pero ahora estamos aquí porque tenemos un gran problema y, como tú sabes tanto, tal vez puedas ayudarnos –maulló Zorbas, y enseguida le narró la triste historia de la gaviota.

Sabelotodo escuchó con atención. Asentía con movimientos de cabeza y, cuando los nerviosos movimientos de su rabo expresaban con demasiada elocuencia los sentimientos que en él despertaban los maullidos de Zorbas, trataba de meterlo bajo sus patas traseras.

–... y así la dejé, muy mal, hace poco rato... –concluyó Zorbas.

–¡Terrible historia! ¡Terrible! Veamos, déjenme pensar: gaviota... petróleo... petróleo... gaviota... gaviota enferma... ¡Eso es! ¡Debemos consultar la enciclopedia! –exclamó jubiloso.

–¡¿La qué?! –maullaron los tres gatos.

–La en-ci-clo-pe-dia. El libro del saber. Debemos buscar en los tomos siete y diecisiete, correspondientes a las letras «G» y «P» –señaló Sabelotodo con decisión.

–Veamos pues esa emplicope... empicope... ¡ejem! –propuso Colonello.

–En-ci-clo-pe-dia –musitó lentamente Secretario.

–Es lo que iba a decir yo. Compruebo una vez más que no puede resistir la tentación de quitarme los maullidos de la boca –refunfuñó Colonello.

Sabelotodo trepó a un enorme mueble en el que se alineaban gruesos libros de imponente apariencia, y luego de buscar en los lomos las letras «G» y «P», hizo caer los volúmenes. Enseguida bajó y, con una garra muy corta y gastada de tanto revisar libros, fue pasando páginas. Los tres gatos guardaban respetuoso silencio mientras lo oían musitar maullidos casi inaudibles.

–Sí, creo que vamos por buen camino. Qué interesante. Gavía. Gaviero. Gavilán. ¡Vaya, qué interesante! Escuchen esto, amigos: al parecer el gavilán es un ave terrible, ¡terrible! Está considerado como una de las rapaces más crueles. ¡Terrible! –exclamó entusiasmado Sabelotodo.

–No nos interesa lo que diga del gavilán. Estamos aquí por una gaviota –lo interrumpió Secretario.

–¿Tendría la amabilidad de dejar de quitarme los maullidos de la boca? –rezongó Colonello.

–Perdón. Es que la enciclopedia es para mí algo irresistible. Cada vez que miro en sus páginas aprendo algo nuevo –se disculpó Sabelotodo, y siguió pasando palabras hasta dar con la que buscaba.

Pero lo que la enciclopedia decía de las gaviotas no les sirvió de gran ayuda. Como mucho supieron que la gaviota que les preocupaba pertenecía a la especie argentada, llamada así por el color plata de sus plumas.

Y lo que encontraron sobre el petróleo tampoco les llevó a saber cómo ayudar a la gaviota, aunque tuvieron que soportar una larga disertación de Sabelotodo, que se extendió hablando sobre una guerra del petróleo que tuvo lugar en los años setenta.

–¡Por las púas del erizo! Estamos como al principio –maulló Zorbas.

–¡Es terrible! ¡Terrible! Por primera vez la

enciclopedia me ha defraudado —admitió desconsolado Sabelotodo.

—Y en esa emplicope... ecimole... en fin, ya sabes a lo que voy, ¿no hay consejos prácticos sobre cómo quitar manchas de petróleo? —consultó Colonello.

—¡Genial! ¡Terriblemente genial! ¡Por ahí debimos haber empezado! Ahora mismo os alcanzo el tomo dieciocho, letra «Q» de quitamanchas —anunció Sabelotodo con euforia al tiempo que trepaba nuevamente al mueble de los libros.

—¿Se da cuenta? Si usted evitara esa odiosa costumbre de quitarme los maullidos de la boca ya sabríamos qué hacer —indicó Colonello al silencioso Secretario.

En la página dedicada a la palabra quitamanchas encontraron, además de cómo quitar manchas de mermelada, tinta china, sangre y jarabe de frambuesas, la solución para eliminar manchas de petróleo.

—«Se limpia la superficie afectada con un paño humedecido en bencina.» ¡Ya lo tenemos! —maulló Sabelotodo.

—No tenemos nada. ¿De dónde diablos vamos a sacar bencina? —rezongó Zorbas con evidente mal humor.

–Pues, si mal no recuerdo, en el sótano del restaurante tenemos un tarro con pinceles sumergidos en bencina. Secretario, ya sabe lo que tiene que hacer –maulló Colonello.

–Perdón, señor, pero no capto su idea –se disculpó Secretario.

–Muy simple: usted humedecerá convenientemente el rabo con bencina y luego iremos a ocuparnos de esa pobre gaviota –indicó Colonello mirando hacia otra parte.

–¡Ah, no! ¡Eso sí que no! ¡De ninguna manera! –protestó Secretario.

–Le recuerdo que el menú de esta tarde contempla doble ración de hígado a la crema –musitó Colonello.

–¡Meter el rabo en bencina!... ¿Dijo usted hígado a la crema? –maulló consternado Secretario.

Sabelotodo decidió acompañarlos, y los cuatro gatos corrieron hasta la salida del bazar de Harry. Al verlos pasar, el chimpancé, que terminaba de beber una cerveza, les dedicó un sonoro eructo.

8
Zorbas empieza a cumplir lo prometido

Los cuatro gatos bajaron del tejado al balcón y de inmediato comprendieron que llegaban tarde. Colonello, Sabelotodo y Zorbas observaron con respeto el cuerpo sin vida de la gaviota, mientras Secretario agitaba al viento su rabo para quitarle el olor a bencina.

–Creo que debemos juntarle las alas. Es lo que se hace en estos casos –indicó Colonello.

Venciendo la repugnancia que les provocaba aquel ser impregnado de petróleo, le unieron las alas al cuerpo y, al moverla, descubrieron el huevo blanco con pintitas azules.

–¡El huevo! ¡Llegó a poner el huevo! –exclamó Zorbas.

—Te has metido en un buen lío, *caro amico*. ¡En un buen lío! —advirtió Colonello.

—¿Qué voy a hacer con el huevo? —se preguntó el cada vez más acongojado Zorbas.

—Con un huevo se pueden hacer muchas cosas. Una tortilla, por ejemplo —propuso Secretario.

—¡Oh sí! Un vistazo a la enciclopedia nos dirá cómo preparar la mejor de las tortillas. El tema aparece en el tomo veintiuno, letra «T» —aseguró Sabelotodo.

—¡De eso ni maullar! Zorbas prometió a esa pobre gaviota que cuidaría del huevo y del polluelo. Una promesa de honor contraída por un gato del puerto atañe a todos los gatos del puerto, de tal manera que el huevo no se toca —declaró solemne Colonello.

—¡Pero yo no sé cómo cuidar un huevo! ¡Nunca antes he tenido un huevo a mi cuidado! —maulló desesperado Zorbas.

Entonces todos los gatos miraron a Sabelotodo. Tal vez en su famosa en-ci-clo-pe-dia hubiera algo al respecto.

—Debo consultar el tomo ocho, letra «H». Con seguridad ahí está todo lo que debemos saber del huevo, pero por el momento aconsejo calor, calor corporal, mucho calor corporal –indicó Sabelotodo con tono pedante y didáctico.

–O sea que a echarse junto al huevo, pero sin romperlo –aconsejó Secretario.

–Es exactamente lo que yo iba a sugerir.

Zorbas, quédate junto al huevo y nosotros acompañaremos a Sabelotodo para ver qué nos dice su empilope ... encimope ... en fin, ya sabes a lo que me refiero. Regresaremos por la noche con las novedades y daremos sepultura a esta pobre gaviota –dispuso Colonello antes de saltar al tejado.

Sabelotodo y Secretario lo siguieron. Zorbas se quedó en el balcón, con el huevo y la gaviota muerta. Con mucho cuidado se tendió y atrajo al huevo junto a su barriga. Se sentía ridículo. Pensaba en las mofas que, si llegaban a verlo, le dedicarían los dos gatos facinerosos a los que se había enfrentado por la mañana.

Pero una promesa es una promesa y así, calentado por los rayos del sol, se fue adormeciendo con el huevo blanco con pintitas azules muy pegado a su vientre negro.

9
Una noche triste

A la luz de la luna, Secretario, Sabelotodo, Colonello y Zorbas cavaron un agujero al pie del castaño. Poco antes, procurando no ser vistos por ningún humano, arrojaron a la gaviota muerta desde el balcón hasta el patio interior. Rápidamente la depositaron en el hoyo y la cubrieron de tierra. Entonces Colonello maulló con acento grave:

–Compañeros gatos, esta noche de luna despedimos los restos de una desafortunada gaviota cuyo nombre ni siquiera llegamos a conocer. Lo único que hemos logrado saber de ella, gracias a los conocimientos del compañero Sabelotodo, es que pertenecía a la especie de las gaviotas argentadas, y que tal vez venía de muy lejos, de allí donde el río se une al mar. Muy poco supimos de ella, pero lo que importa es que llegó moribunda hasta la casa de Zorbas, uno de los nuestros, y depositó en él toda su confianza. Zorbas le prometió cuidar del huevo que puso antes de morir, del polluelo que nacerá de él y, lo más difícil, compañeros, prometió enseñarle a volar...

–Volar. Tomo veintitrés, letra «V» –se escuchó musitar a Sabelotodo.

–Es exactamente lo que el señor Colonello iba a decir. No le saques los maullidos de la boca –aconsejó Secretario.

–... promesas difíciles de cumplir –prosiguió impasible Colonello–, pero sabemos que un gato de puerto siempre cumple con sus maullidos. Para ayudar a que lo consiga, ordeno que el compañero Zorbas no abandone el huevo hasta que nazca el polluelo y que el compañero Sabelotodo consulte en su emplicope... encimope... en fin, en los libros esos, todo lo que tenga que ver con el arte de volar. Y ahora digamos adiós a esta gaviota víctima de la desgracia provocada por los humanos. Estiremos los cuellos hacia la luna y maullemos la canción del adiós de los gatos del puerto.

Al pie del viejo castaño los cuatro gatos empezaron a maullar una triste letanía, y a sus maullidos se agregaron muy pronto los de otros gatos de las cercanías, y luego los de los gatos de la otra orilla del río, y a los maullidos de los gatos se unieron los aullidos de los perros, el piar lastimero de los canarios enjaulados y de los gorriones en sus nidos, el croar triste de las ranas, y hasta los destemplados chillidos del chimpancé Matías.

Las luces de todas las casas de Hamburgo se encendieron, y aquella noche todos sus habitantes se preguntaron a qué se debía la extraña tristeza que súbitamente se había apoderado de los animales.

Segunda parte

1
Gato empollando

Muchos días pasó el gato grande, negro y gordo echado junto al huevo, protegiéndolo, acercándolo con toda la suavidad de sus patas peludas cada vez que un movimiento involuntario de su cuerpo lo alejaba un par de centímetros. Fueron largos e incómodos días que a veces se le antojaron totalmente inútiles, pues se veía cuidando a un objeto sin vida, a una especie de frágil piedra, aunque fuera blanca y con pintitas azules.

En alguna ocasión, acalambrado por la falta de movimientos, ya que, según las órdenes de Colonello, sólo abandonaba el huevo para ir a comer y visitar la caja en la que hacía sus necesidades, sintió la tentación de comprobar si dentro de aquella bolita de calcio efectivamente crecía un polluelo de gaviota. Entonces acercó una oreja al huevo, luego la otra, pero no consiguió oír nada. Tampoco tuvo suerte cuando intentó ver el interior del huevo poniéndolo a contraluz. La cáscara blanca con pintitas azules era gruesa y no dejaba traslucir absolutamente nada.

Colonello, Secretario y Sabelotodo lo visitaban cada noche, y examinaban el huevo para comprobar si se daba lo que Colonello llamaba «progresos esperados», pero en cuanto veían que el huevo continuaba igual que el primer día, cambiaban de conversación.

Sabelotodo no dejaba de lamentarse de que en su enciclopedia no se indicara la duración exacta de la incubación: el dato más preciso que consiguió sacar de sus gruesos libros fue el de que ésta podía durar entre diecisiete y treinta días, según las características de la especie a la que perteneciera la gaviota madre.

Empollar no había sido fácil para el gato grande, negro y gordo. No podía olvidar la mañana en que el amigo de la familia encargado de cuidarlo consideró que en el piso se juntaba demasiado polvo y decidió pasar la aspiradora.

Cada mañana, durante las visitas del amigo, Zorbas había ocultado el huevo entre unas macetas del balcón, para poder así dedicarle unos minutos a aquel buen tipo que le cambiaba la gravilla de la caja y le abría latas de comida. Le maullaba agradecido, restregaba el cuerpo contra sus piernas, y el humano se marchaba repitiendo que era un gato muy simpático. Pero aquella mañana, después de verlo pasar la aspiradora por la sala y los dormitorios, le oyó decir:

—Y ahora el balcón. Entre las macetas es donde más basura se junta.

Al oír el estallido de un frutero rompiéndose en mil pedazos, el amigo corrió hasta la cocina y desde la puerta gritó:

—¡¿Te has vuelto loco, Zorbas?! ¡Mira lo que has hecho! Sal ahora mismo de aquí, gato idiota. Sólo faltaría que te clavaras una astilla de vidrio en las patas.

¡Qué insulto tan inmerecido! Zorbas salió de la cocina simulando una gran vergüenza, con el rabo entre las patas, y trotó hasta el balcón.

No fue fácil hacer rodar el huevo hasta debajo de una cama, pero lo consiguió, y allí esperó a que el humano terminara la limpieza y se marchara.

Al atardecer del día número veinte Zorbas dormitaba, y por eso no percibió que el huevo se movía, lentamente, pero se movía, como si quisiera echarse a rodar por el piso.

Lo despertó un cosquilleo en el vientre. Abrió los ojos, y no pudo evitar dar un salto al ver que, por una grieta del huevo, aparecía y desaparecía una puntita amarilla.

Zorbas cogió el huevo entre las patas delanteras y así vio cómo el pollito picoteaba hasta abrir un agujero por el que asomó la diminuta cabeza blanca y húmeda.

–¡Mami! –graznó el pollito de gaviota.

Zorbas no supo qué responder. Sabía que el color de su piel era negro, pero creyó que la emoción y el bochorno lo transformaban en un gato color lila.

2
No es fácil ser mami

–¡Mami! ¡Mami! –volvió a graznar el pollito ya fuera del huevo. Era blanco como la
leche, y unas plumas delgadas, ralas y cortas
le cubrían a medias el cuerpo. Intentó dar
unos pasos y se desplomó junto a la panza de
Zorbas.

–¡Mami! ¡Tengo hambre! –graznó pico-
teándole la piel.

¿Qué le daría de comer? Sabelotodo no había maullado nada al respecto. Sabía que las
gaviotas se alimentaban de pescado, pero ¿de
dónde sacaba él un pedazo de pescado? Zorbas corrió a la cocina y regresó haciendo rodar
una manzana.

El pollito se incorporó sobre sus tambaleantes patas y se precipitó sobre la fruta. El piquito amarillo tocó la cáscara, se dobló como si fuera de goma y, al enderezarse nuevamente, catapultó al pollito hacia atrás, haciéndolo caer.

—¡Tengo hambre! —graznó colérico—. ¡Mami! ¡Tengo hambre!

Zorbas intentó que picoteara una papa, algunas de sus galletas —¡con la familia de vacaciones no había mucho que elegir!—, lamentando haber vaciado su plato de comida antes del nacimiento del pollito. Todo fue en vano. El piquito era muy blando y se doblaba al contacto con la papa. Entonces, en medio de la desesperación, recordó que el pollito era un pájaro, y que los pájaros comen insectos.

Salió al balcón y esperó pacientemente a que una mosca se pusiera al alcance de sus zarpas. No tardó en cazar una y se la entregó al hambriento.

El pollito cogió la mosca con el pico, la apretó y, cerrando los ojos, la tragó.

—¡Rica comida! ¡Quiero más, mami, quiero más! —graznó entusiasmado.

Zorbas saltaba de un extremo a otro del

balcón. Tenía reunidas cinco moscas y una araña cuando desde el tejado de la casa de enfrente le llegaron las voces conocidas de los dos gatos facinerosos a los que se había enfrentado hacía ya varios días.

–Mire, compadre. El gordito está haciendo gimnasia rítmica. Con ese cuerpo cualquiera es bailarín –maulló uno.

–Yo creo que está practicando aerobic. Qué gordito tan rico. Qué grácil. Qué estilo tiene. Oye, bola de grasa, ¿te vas a presentar a un concurso de belleza? –maulló el otro.

Los dos facinerosos reían, seguros al otro lado del patio.

De buena gana Zorbas les hubiera hecho probar el filo de sus garras, pero estaban lejos, de tal manera que volvió hacia el hambriento con su botín de insectos.

El pollito devoró las cinco moscas pero se negó a probar la araña. Satisfecho, hipó y se encogió, muy pegado al vientre de Zorbas.

–Tengo sueño, mami –graznó.

–Oye, lo siento, pero yo no soy tu mami –maulló Zorbas.

–Claro que eres mi mami. Y eres una mami muy buena –repuso cerrando los ojos.

Cuando Colonello, Secretario y Sabelotodo llegaron, encontraron al pollito dormido junto a Zorbas.

–¡Felicidades! Es un pollo muy bonito. ¿Cuánto pesó al nacer? –preguntó Sabelotodo.

–¿Qué pregunta es ésa? ¡Yo no soy la madre de este pollo! –se desentendió Zorbas.

–Es lo que siempre se pregunta en estos casos. No lo tomes a mal. En efecto, se trata de un pollo muy bonito –preguntó Colonello.

–¡Qué terrible! ¡Terrible! –exclamó Sabelotodo llevándose las patas delanteras a la boca.

–¿Podrías decirnos qué es tan terrible? –consultó Colonello.

–El pollito no tiene nada de comer. ¡Es terrible! ¡Terrible! –insistió Sabelotodo.

–Tienes razón. Tuve que darle unas moscas y creo que muy pronto querrá comer de nuevo –reconoció Zorbas.

–Secretario, ¿qué espera? –preguntó Colonello.

–Disculpe, señor, pero no lo sigo –se excusó Secretario.

–Corra al restaurante y regrese con una sardina –ordenó Colonello.

–¿Y por qué yo, eh? ¿Por qué tengo que

ser siempre el gato de los mandados, eh? Que me moje el rabo con bencina, que vaya a buscar una sardina. ¿Por qué siempre yo, eh? –protestó Secretario.

–Porque esta noche, señor mío, cenaremos calamares a la romana. ¿No le parece una buena razón? –indicó Colonello.

–Pues el rabo todavía me apesta a bencina ... ¿dijo usted calamares a la romana ... ? –preguntó Secretario antes de trepar al cubo.

–Mami, ¿quiénes son éstos? –graznó el pollito señalando a los gatos.

–¡Mami! ¡Te ha dicho mami! ¡Qué terriblemente tierno! –alcanzó a exclamar Sabelotodo, antes de que la mirada de Zorbas le aconsejara cerrar la boca.

–Bueno, *caro amico,* has cumplido la primera promesa, estás cumpliendo la segunda y sólo te queda la tercera –declaró Colonello.

–La más fácil: enseñarle a volar –maulló Zorbas con ironía.

–Lo conseguiremos. Estoy consultando la enciclopedia, pero el saber lleva su tiempo –aseguró Sabelotodo.

–¡Mami! ¡Tengo hambre! –los interrumpió el pollito.

3
El peligro acecha

Las complicaciones empezaron al segundo día del nacimiento. Zorbas tuvo que actuar drásticamente para evitar que el amigo de la familia lo descubriera. Apenas oyó abrir la puerta, volcó una maceta vacía sobre el pollito y se sentó encima. Por fortuna el humano no salió al balcón y desde la cocina no oía los graznidos de protesta.

El amigo, como siempre, limpió la caja, cambió la gravilla, abrió una lata de comida y, antes de marcharse, se asomó a la puerta del balcón.

—Espero que no estés enfermo, Zorbas. Es la primera vez que no corres en cuanto te abro una lata. ¿Qué haces sentado en esa maceta? Cualquiera diría que estás ocultando algo. Bueno, hasta mañana, gato loco.

¿Y si se le hubiera ocurrido mirar debajo de la maceta? De sólo pensarlo se le aflojó el vientre y tuvo que correr hasta la caja.

Allí estaba, con el rabo muy levantado, sintiendo un gran alivio y pensando en las palabras del humano.

«Gato loco.» Así lo había llamado. «Gato loco.»

Tal vez tuviera razón, porque lo más práctico hubiera sido dejarle ver el pollito. El amigo habría pensado entonces que sus intenciones eran comérselo y se lo habría llevado para cuidarlo hasta que creciera. Pero él lo había ocultado bajo una maceta. ¿Era un gato loco?

No. De ninguna manera. Zorbas seguía rigurosamente el código de honor de los gatos de puerto. Había prometido a la agonizante gaviota que enseñaría a volar al pollito, y lo haría. No sabía cómo, pero lo haría.

Zorbas tapaba concienzudamente sus excrementos cuando los graznidos alarmados del pollito lo hicieron volver al balcón.

Lo que vio allí le heló la sangre.

Los dos gatos facinerosos estaban echados frente al pollito, movían los rabos excitados, y uno de ellos lo sujetaba con una zarpa encima de la rabadilla. Por fortuna le daban la espalda y no lo vieron llegar. Zorbas tensó todos los músculos del cuerpo.

—Quién iba a decir que encontraríamos un desayuno tan bueno, compadre. Es chiquito pero se ve sabroso —maulló uno.

—¡Mami! ¡Socorro! —graznaba el pollito.

—Lo que más me gusta de los pájaros son las alas. Este las tiene pequeñas, pero los muslos se le ven carnuditos —apuntó el otro.

Zorbas saltó. En el aire sacó las diez uñas de sus patas delanteras y, al caer en medio de los dos tunantes, les aplastó la cabeza contra el suelo.

Trataron de levantarse, pero cuando quisieron hacerlo cada uno de ellos tenía una oreja traspasada por un arañazo.

—¡Mami! ¡Me querían comer! —graznó el pollito.

—¿Comernos a su hijo? No, señora. De ninguna manera —maulló uno con la cabeza pegada al suelo.

—Somos vegetarianos, señora. Vegetarianos estrictos —aseguró el otro.

—No soy una «señora», idiotas —maulló Zorbas jalándoles las orejas para que pudieran verlo.

Al reconocerlo, a los dos facinerosos se les erizó el pelo.

—Tiene un hijo muy bonito, amigo. Será un gran gato —aseguró el primero.

—Eso se ve de lejos. Es un gatito muy guapo —afirmó el otro.

—No es un gato. Es un pollo de gaviota, estúpidos —aclaró Zorbas.

—Es lo que siempre le digo a mi compadre: hay que tener hijos gaviotas. ¿Verdad, compadre? —declaró el primero.

Zorbas decidió terminar con aquella farsa, pero aquellos dos cretinos se llevarían un recuerdo de sus garras. Con un enérgico movimiento recogió las patas delanteras y sus garras partieron una oreja de cada uno de esos cobardes. Maullando de dolor escaparon a la carrera.

—¡Tengo una mami muy valiente! —graznó el pollito.

Zorbas comprendió que el balcón no era un lugar seguro, pero tampoco podía meterlo en el piso porque el pollito lo ensuciaría todo y acabaría siendo descubierto por el amigo de

la familia. Tenía que buscarle un refugio seguro.

–Ven, vamos a dar un paseo –maulló Zorbas antes de tomarlo delicadamente entre los
dientes.

4
El peligro no descansa

Reunidos en el bazar de Harry, los gatos decidieron que el pollito no podía seguir en el piso de Zorbas. Eran muchos los riesgos que corría, y el mayor de todos no era la amenazante presencia de los dos gatos facinerosos, sino el amigo de la familia.

–Los humanos son, por desgracia, imprevisibles. Muchas veces con las mejores intenciones causan los peores daños –sentenció Colonello.

–Así es. Pensemos por ejemplo en Harry, que es un buen hombre, todo corazón, pero que, como siente un gran cariño por el chimpancé y sabe que le gusta la cerveza, venga, a pasarle botellas cada vez que el mono tiene sed. El pobre Matías es un alcohólico, ha perdido la vergüenza y cada vez que se embriaga le da por entonar unas canciones terribles. ¡Terribles! –maulló Sabelotodo.

–¿Y qué decir del daño que hacen intencionadamente? Pensad en la pobre gaviota que murió por culpa de la maldita manía de envenenar el mar con su basura –agregó Secretario.

Tras una corta deliberación acordaron que Zorbas y el pollito vivirían en el bazar hasta que éste aprendiera a volar. Zorbas iría hasta su piso todas las mañanas para que el humano no se alarmara, y luego volvería a cuidarlo.

–No estaría mal que el pajarito tuviera un nombre –sugirió Secretario.

–Es exactamente lo que iba a proponer yo. Me temo que el quitarme los maullidos de la boca es superior a sus fuerzas –se quejó Colonello.

–Estoy de acuerdo. Debe tener un nombre, pero antes hay que saber si es macho o hembra –maulló Zorbas.

No bien había terminado de maullar y ya Sabelotodo había botado del estante un tomo de la enciclopedia: el volumen veinte, correspondiente a la letra «S», y pasaba páginas buscando la palabra «sexo».

Por desgracia la enciclopedia no decía nada acerca de cómo reconocer el sexo de un polluelo de gaviota.

–Hay que reconocer que tu enciclopedia no nos ha servido de mucho –se quejó Zorbas.

–¡No admito dudas sobre la eficacia de mi enciclopedia! Todo el saber está en esos libros –respondió ofendido Sabelotodo.

–Gaviota. Ave marina. ¡Barlovento! El único que puede decirnos si es macho o hembra es Barlovento –aseguró Secretario.

–Es exactamente lo que iba a maullar yo. ¡Le prohíbo seguir quitándome los maullidos de la boca! –rezongó Colonello.

Mientras los gatos maullaban, el pollito daba un paseo entre docenas de aves disecadas. Había mirlos, papagayos, tucanes, pavos reales, águilas, halcones, que él miraba atemorizado. De pronto, un animal de ojos rojos y que no estaba disecado le cerró el paso.

–¡Mami! ¡Auxilio! –graznó desesperado.

El primero en llegar junto a él fue Zorbas, y lo hizo a tiempo, pues en ese preciso momento una rata alargaba las patas delanteras hacia el cuello del pollito.

Al ver a Zorbas, la rata huyó hasta una grieta abierta en un muro.

—¡Me quería comer! —graznó el pollito pegándose a Zorbas.

—No pensamos en este peligro. Creo que habrá que maullar seriamente con las ratas —indicó Zorbas.

—De acuerdo. Pero no les hagas muchas concesiones a esas desvergonzadas —aconsejó Colonello.

Zorbas se acercó hasta la grieta. Su interior estaba muy oscuro, pero logró ver los ojos rojos de la rata.

—Quiero ver a tu jefe —maulló Zorbas con decisión.

—Yo soy el jefe de las ratas —escuchó que le respondían desde la oscuridad.

—Si tú eres el jefe, entonces ustedes valen menos que las cucarachas. Avisa a tu jefe —insistió Zorbas.

Zorbas escuchó que la rata se alejaba. Sus garras hacían chirriar una tubería por la que se deslizaba. Pasados unos minutos vio reaparecer sus ojos rojos en la penumbra.

—El jefe te recibirá. En el sótano de las caracolas, detrás del arcón pirata, hay una entrada —chilló la rata.

Zorbas bajó hasta el sótano indicado. Buscó tras el arcón y vio que en el muro había un agujero por el que podía pasar. Apartó las telarañas y se introdujo en el mundo de las ratas. Olía a humedad y a inmundicia.

–Sigue las cañerías de desagüe –chilló una rata que no pudo ver.

Obedeció. A medida que avanzaba arrastrando el cuerpo sentía que su piel se impregnaba de polvo y de basura.

Se adentró en las tinieblas hasta que llegó a una cámara de alcantarillado apenas iluminada por un débil haz de luz diurna. Zorbas supuso que estaba debajo de la calle y que el haz de luz se colaba por la tapa de la alcantarilla. El lugar apestaba, pero era lo suficientemente alto como para levantarse sobre las cuatro patas. Por el centro corría un canal de aguas inmundas. Entonces vio al jefe de las ratas, un gran roedor de piel oscura, con el cuerpo lleno de cicatrices, que se entretenía repasando los anillos del rabo con una garra.

–Vaya, vaya. Miren quién nos visita. El gato gordo –chilló el jefe de las ratas.

–¡Gordo! ¡Gordo! –gritaron a coro docenas de ratas de las que Zorbas sólo veía los ojos rojos.

–Quiero que dejen en paz al pollito –maulló enérgico.

–Así que los gatos tienen un pollito. Lo sabía. Se cuentan muchas cosas en las cloacas. Se dice que es un pollito sabroso. Muy sabroso. ¡Je, je, je! –chilló el jefe de las ratas.

–¡Muy sabroso! ¡Je, je, je! –corearon las demás ratas.

–Ese pollito está bajo la protección de los gatos –maulló Zorbas.

–¿Se lo comerán cuando crezca? ¿Sin invitarnos? ¡Egoístas! –acusó la rata.

–¡Egoístas! ¡Egoístas! –repitieron las otras ratas.

–Como bien sabes, he liquidado a más ratas que pelos tengo en el cuerpo. Si algo le pasa al pollito tienen las horas contadas –advirtió Zorbas con serenidad.

–Oye, bola de sebo, ¿has pensado en cómo salir de aquí? Contigo podemos hacer un buen puré de gato –amenazó la rata.

–¡Puré de gato! ¡Puré de gato! –repitieron las otras ratas.

Entonces Zorbas saltó sobre el jefe de las ratas. Cayó sobre su lomo, aprisionándole la cabeza con las garras.

–Estás a punto de perder los ojos. Es posible que tus secuaces hagan de mí un puré de gato, pero tú no lo vas a ver. ¿Dejan en paz al pollito? –amenazó Zorbas.

–Qué malos modales tienes. Está bien. Ni puré de gato ni puré de pollito. Todo se puede negociar en las cloacas –aceptó la rata.

–Entonces negociemos. ¿Qué pides a cambio de respetar la vida del pollito? –preguntó Zorbas.

–Paso libre por el patio. Colonello ordenó que nos cortaran el camino al mercado. Paso libre por el patio –chilló la rata.

–De acuerdo. Podrán pasar por el patio, pero de noche, cuando los humanos no las vean. Los gatos debemos cuidar nuestro prestigio –señaló Zorbas soltándole la cabeza.

Salió de la cloaca retrocediendo, sin perder de vista ni al jefe de las ratas ni a los ojos rojos que por docenas lo miraban con odio.

5
¿Pollito o pollita?

Pasaron tres días hasta que pudieron ver a Barlovento, que era un gato de mar, un auténtico gato de mar.

Barlovento era la mascota del *Hannes II,* una poderosa draga encargada de mantener siempre limpio y libre de escollos el fondo del Elba. Los tripulantes del *Hannes II* apreciaban a Barlovento, un gato color miel con los ojos azules al que tenían por un compañero más en las duras faenas de limpiar el fondo del río.

En los días de tormenta lo cubrían con un chubasquero de hule amarillo hecho a su medida, similar a los impermeables que usaban ellos, y Barlovento se paseaba por cubierta con el gesto fruncido de los marinos que desafían al mal tiempo.

El *Hannes II* también había limpiado los puertos de Rotterdam, Amberes y Copenhague, y Barlovento solía maullar entretenidas historias acerca de esos viajes. Sí. Era un auténtico gato de mar.

–¡Ahoi! –maulló Barlovento al entrar en el bazar.

El chimpancé pestañeó perplejo al ver avanzar al gato, que a cada paso balanceaba el cuerpo de izquierda a derecha, ignorando la importancia de su dignidad de boletero del establecimiento.

–Si no sabes decir buenos días, por lo menos paga la entrada, saco de pulgas –gruñó Matías.

–¡Tonto a estribor! ¡Por los colmillos de la barracuda! ¿Me has llamado saco de pulgas? Para que lo sepas, este pellejo ha sido picado por todos los insectos de todos los puertos. Algún día te maullaré de cierta garrapata que se me encaramó en el lomo y era tan pesada que no pude con ella. ¡Por las barbas de la ballena! Y te maullaré de los piojos de la isla Cacatúa, que necesitan chupar la sangre de siete hombres para quedar satisfechos a la hora del aperitivo. ¡Por las aletas del tiburón! Leva anclas, macaco, ¡y no me cortes la brisa! —ordenó Barlovento y siguió caminando sin esperar la respuesta del chimpancé.

Al llegar al cuarto de los libros, saludó desde la puerta a los gatos allí reunidos.

—*Moin!* —se presentó Barlovento, que gustaba maullar «Buenos días» en el recio y al mismo tiempo dulce dialecto hamburgueño.

—¡Por fin llegas, *capitano,* no sabes cuánto te necesitamos! —saludó Colonello.

Rápidamente le contaron la historia de la gaviota y de las promesas de Zorbas, promesas que, repitieron, los comprometían a todos.

Barlovento escuchó con movimientos apesadumbrados de cabeza.

—¡Por la tinta del calamar! Ocurren cosas terribles en el mar. A veces me pregunto si algunos humanos se han vuelto locos, porque intentan hacer del océano un enorme basurero. Vengo de dragar la desembocadura del Elba y no se pueden imaginar qué cantidad de inmundicia arrastran las mareas. ¡Por la concha de la tortuga! Hemos sacado barriles de insecticida, neumáticos y toneladas de las malditas botellas de plástico que los humanos dejan en las playas —indicó enojado Barlovento.

–¡Terrible! ¡Terrible! Si las cosas siguen así, dentro de muy poco la palabra contaminación ocupará todo el tomo tres, letra «C» de la enciclopedia –indicó escandalizado Sabelotodo.

–¿Y qué puedo hacer yo por ese pobre pájaro? –preguntó Barlovento.

–Sólo tú, que conoces los secretos del mar, puedes decirnos si el pollito es macho o hembra –respondió Colonello.

Lo llevaron hasta el pollito, que dormía satisfecho después de dar cuenta de un calamar traído por Secretario, quien, siguiendo las consignas de Colonello, se encargaba de su alimentación.

Barlovento estiró una pata delantera, le examinó la cabeza y enseguida levantó las plumas que empezaban a crecerle sobre la rabadilla. El pollito buscó a Zorbas con ojos asustados.

–¡Por las patas del cangrejo! –exclamó divertido el gato de mar–. ¡Es una linda pollita que algún día pondrá tantos huevos como pelos tengo en el rabo!

Zorbas lamió la cabeza de la pequeña gaviota. Lamentó no haber preguntado a la madre cómo se llamaba ella, pues si la hija estaba destinada a proseguir el vuelo interrumpido por la desidia de los humanos, sería hermoso que tuviera el mismo nombre de la madre.

—Considerando que la pollita ha tenido la fortuna de quedar bajo nuestra protección —maulló Colonello—, propongo que la llamemos Afortunada

—¡Por las agallas de la merluza! ¡Es un lindo nombre! —celebró Barlovento—. Recuerdo una hermosa goleta que vi en el mar Báltico. Se llamaba así, Afortunada, y era enteramente blanca.

—Estoy seguro de que en el futuro hará algo sobresaliente, extraordinario, y su nombre será incluido en el tomo uno, letra «A», de la enciclopedia —aseguró Secretario.

Todos estuvieron de acuerdo con el nombre propuesto por Colonello. Entonces, los cinco gatos formaron un círculo en torno a la pequeña gaviota, se levantaron sobre las patas traseras y estirando las delanteras hasta dejarla bajo un techo de garras maullaron el ritual del bautizo de los gatos del puerto.

—¡Te saludamos, Afortunada, amiga de los gatos!

—¡Ahoi! ¡Ahoi! ¡Ahoi! —exclamó feliz Barlovento.

6
Afortunada, de verdad afortunada

Afortunada creció deprisa, rodeada del cariño de los gatos. Al mes de vivir en el bazar de Harry era una joven y esbelta gaviota de sedosas plumas color plata.

Cuando algunos turistas visitaban el bazar, Afortunada, siguiendo las instrucciones de Colonello, se quedaba muy quieta entre las aves embalsamadas simulando ser una de ellas. Pero por las tardes, cuando el bazar cerraba y el viejo lobo de mar se retiraba, deambulaba con su andar bamboleante de ave marina por todos los cuartos, maravillándose ante los miles de objetos que allí había, mientras Sabelotodo revisaba y revisaba libros buscando el método para que Zorbas le enseñara a volar.

–Volar consiste en empujar el aire hacia atrás y hacia abajo. ¡Ajá! Ya tenemos algo importante –musitaba Sabelotodo con la nariz metida en sus libros.

–¿Y por qué debo volar? –graznaba Afortunada con las alas muy pegadas al cuerpo.

–Porque eres una gaviota y las gaviotas vuelan –respondía Sabelotodo–. Me parece terrible, ¡terrible!, que no lo sepas.

–Pero yo no quiero volar. Tampoco quiero ser gaviota –discutía Afortunada–. Quiero ser gato y los gatos no vuelan.

Una tarde se acercó hasta la entrada del bazar y tuvo un desagradable encuentro con el chimpancé.

–Sin hacer caca por ahí, ¡pajarraco! –chilló Matías.

–¿Por qué me dice eso, señor mono? –preguntó con timidez.

–Es lo único que hacen los pájaros. Caca. Y tú eres un pájaro –repitió muy seguro el chimpancé.

–Se equivoca. Soy un gato y muy limpio –contestó Afortunada buscando la simpatía del simio–. Ocupo la misma caja que Sabelotodo.

–¡Ja, ja! Lo que ocurre es que esa pandilla de sacos de pulgas te han convencido de que eres uno de ellos. Mírate el cuerpo: tienes dos patas y los gatos tienen cuatro. Tienes plumas y los gatos tienen pelo. ¿Y el rabo? ¿Eh? ¿Dónde tienes el rabo? Estás tan loca como el gato ese que se pasa la vida leyendo y maullando ¡terrible!, ¡terrible! ¡Pajarraco idiota! ¿Y quieres saber por qué te miman tus amigos? Porque esperan a que engordes para darse un gran festín contigo. ¡Te comerán con plumas y todo! –chilló el chimpancé.

Aquella tarde los gatos se extrañaron de que la gaviota no acudiera a comer su plato favorito: los calamares que Secretario escamoteaba de la cocina del restaurante.

Muy preocupados la buscaron, y fue Zorbas el que la encontró, encogida y triste entre los animales disecados.

–¿No tienes hambre, Afortunada? Hay calamares –indicó Zorbas.

La gaviota no abrió el pico.

–¿Te sientes mal? –insistió Zorbas preocupado–. ¿Estás enferma?

–¿Quieres que coma para que engorde? –preguntó sin mirarlo.

–Para que crezcas sana y fuerte.

–Y cuando esté gorda, ¿invitarás a las ratas a comerme? –graznó con los ojos llenos de lágrimas.

–¿De dónde sacas esas tonterías? –maulló enérgico Zorbas.

Haciendo pucheros, Afortunada le refirió todo lo que Matías le había chillado. Zorbas le lamió las lágrimas y de pronto se oyó a sí mismo maullando como nunca antes lo había hecho:

–Eres una gaviota. En eso el chimpancé tiene razón, pero sólo en eso. Todos te queremos, Afortunada. Y te queremos porque eres una gaviota, una hermosa gaviota. No te hemos contradicho al escucharte graznar que eres un gato porque nos halaga que quieras ser como nosotros, pero eres diferente y nos gusta que seas diferente. No pudimos ayudar a tu madre pero a ti sí. Te hemos protegido desde que saliste del cascarón. Te hemos entregado todo nuestro cariño sin pensar jamás en hacer de ti un gato. Te queremos gaviota. Sentimos que también nos quieres, que somos tus amigos, tu familia, y es bueno que sepas que contigo aprendimos algo que nos llena de orgullo: aprendimos a apreciar, respetar y querer a un ser diferente. Es muy fácil aceptar y querer a los que son iguales a nosotros, pero hacerlo con alguien diferente es muy difícil y tú nos ayudaste a conseguirlo. Eres una gaviota y debes seguir tu destino de gaviota. Debes volar. Cuando lo consigas, Afortunada, te aseguro que serás feliz, y entonces tus sentimientos hacia nosotros y los nuestros hacia ti serán más intensos y bellos, porque será el cariño entre seres totalmente diferentes.

–Me da miedo volar –graznó Afortunada incorporándose.

–Cuando eso ocurra yo estaré contigo –maulló Zorbas lamiéndole la cabeza–. Se lo prometí a tu madre.

La joven gaviota y el gato grande, negro y gordo empezaron a caminar. El lamía con ternura su cabeza, y ella le cubrió el lomo con una de sus alas extendidas.

7
Aprendiendo a volar

—Antes de empezar revisaremos por última vez los aspectos técnicos —maulló Sabelotodo.

Desde la parte más alta de una estantería, Colonello, Secretario, Zorbas y Barlovento observaban atentamente lo que ocurría abajo. Allí estaban Afortunada, de pie en el extremo de un pasillo que habían denominado pista de despegue, y Sabelotodo al otro extremo, inclinado sobre el tomo doce, letra «L» de la enciclopedia. El volumen estaba abierto en una de las páginas dedicadas a Leonardo Da Vinci, y en ellas se veía un curioso artefacto bautizado «máquina de volar» por el gran maestro italiano.

–Por favor, comprobemos primero la estabilidad de los puntos de apoyo *a* y *b* –indicó Sabelotodo.

–Probando puntos de apoyo *a* y *b* –repitió Afortunada saltando primero sobre la pata izquierda y luego sobre la derecha.

–Perfecto. Ahora probaremos la extensión de los puntos *c* y *d* –maulló Sabelotodo, que se sentía tan importante como un ingeniero de la NASA.

–Probando extensión de los puntos *c* y *d* –obedeció Afortunada extendiendo las dos alas.

–¡Perfecto! –indicó Sabelotodo–. Repitamos todo una vez más.

–¡Por los bigotes del rodaballo! ¡Déjala volar de una vez! –exclamó Barlovento.

–¡Le recuerdo que soy responsable técnico del vuelo! –contestó Sabelotodo–. Todo debe estar convenientemente asegurado, pues de lo contrario las consecuencias pueden ser terribles para Afortunada. ¡Terribles!

–Tiene razón. Él sabe lo que hace –opinó Secretario.

–Es exactamente lo que yo iba a maullar –refunfuñó Colonello–. ¿Dejará usted alguna vez de quitarme los maullidos de la boca?

Afortunada estaba allí, a punto de intentar su primer vuelo, porque la última semana habían ocurrido dos hechos que hicieron comprender a los gatos que la gaviota deseaba volar, aunque ocultara muy bien su deseo.

El primero ocurrió cierta tarde en que Afortunada acompañó a los gatos a tomar el sol en el tejado del bazar de Harry. Tras disfrutar una hora de los rayos del sol, vieron a tres gaviotas volando arriba, muy arriba.

Se las veía hermosas, majestuosas, recortadas contra el azul del cielo. A ratos parecían paralizarse, flotar simplemente en el aire con las alas extendidas, pero bastaba un leve movimiento para que se desplazaran con una gracia y una elegancia que despertaban envidia, y daban ganas de estar con ellas allá arriba. De pronto los gatos dejaron de mirar al cielo y posaron sus ojos en Afortunada. La joven gaviota observaba el vuelo de sus congéneres y, sin darse cuenta, extendía las alas.

–Miren eso. Quiere volar –comentó Colonello.

–Sí, es hora de que vuele –aprobó Zorbas–. Ya es una gaviota grande y fuerte.

–Afortunada, ¡vuela! ¡Inténtalo! –le animó Secretario.

Al oír los maullidos de sus amigos, Afortunada plegó las alas y se acercó a ellos. Se tumbó junto a Zorbas y empezó a hacer sonar el pico simulando que ronroneaba.

El segundo hecho ocurrió al día siguiente, cuando los gatos escuchaban una historia de Barlovento.

–... y como les maullaba, las olas eran tan altas que no podíamos ver la costa y, ¡por la grasa del cachalote!, para colmo de males teníamos la brújula descompuesta. Cinco días y sus noches llevábamos en medio del temporal, sin saber si navegábamos hacia el litoral o si nos internábamos mar adentro. Entonces, cuando nos sentíamos perdidos, el timonel vio la bandada de gaviotas. ¡Qué alegría, compañeros! Pusimos proa siguiendo el vuelo de las gaviotas y conseguimos llegar a tierra firme. ¡Por los colmillos de la barracuda! Esas gaviotas nos salvaron la vida. Si no las hubiéramos visto, yo no estaría aquí maullándoles el cuento.

Afortunada, que siempre seguía con mucha atención las historias del gato de mar, lo escuchaba con los ojos muy abiertos.

—¿Las gaviotas vuelan en días de tormenta? —preguntó.

—¡Por las descargas de la anguila! Las gaviotas son las aves más fuertes del universo —aseguró Barlovento—. No hay pájaro que sepa volar mejor que una gaviota.

Los maullidos del gato de mar calaban muy profundamente en el corazón de Afortunada. Golpeaba el suelo con las patas y su pico se movía nervioso.

—¿Quieres volar, señorita? —inquirió Zorbas.

Afortunada los miró uno a uno antes de responder.

—¡Sí! ¡Por favor, enséñenme a volar!

Los gatos maullaron su alegría y enseguida se pusieron patas a la obra. Habían esperado largamente aquel momento. Con toda la paciencia que caracteriza a los gatos habían esperado a que la joven gaviota les comunicara sus deseos de volar, porque una ancestral sabiduría les hacía comprender que volar es una decisión muy personal. Y el más feliz de todos era Sabelotodo, que ya había encontrado los fundamentos del vuelo en el tomo doce, letra «L» de la enciclopedia, y por eso se encargaría de dirigir las operaciones.

–¡Lista para el despegue! –indicó Sabelotodo.

–¡Lista para el despegue! –anunció Afortunada.

–Empiece el carreteo por la pista empujando para atrás el suelo con los puntos de apoyo *a* y *b* –ordenó Sabelotodo.

Afortunada empezó a avanzar, pero lentamente, como si patinara sobre ruedas mal engrasadas.

–¡Más velocidad! –exigió Sabelotodo.

La joven gaviota avanzó un poco más rápido.

–¡Ahora extienda los puntos *c* y *d!* –instruyó Sabelotodo.

Afortunada extendió las alas mientras avanzaba.

–¡Ahora levante el punto *e!* –ordenó Sabelotodo.

Afortunada elevó las plumas de la rabadilla.

–¡Y ahora, mueva de arriba abajo los puntos *c* y *d* para empujar el aire hacia abajo y simultáneamente encoja los puntos *a* y *b!* –instruyó Sabelotodo.

Afortunada batió las alas, encogió las patas, se elevó un par de palmos, pero de inmediato cayó como un fardo.

De un salto los gatos bajaron de la estantería y corrieron hacia ella. La encontraron con los ojos llenos de lágrimas.

–¡Soy una inútil! ¡Soy una inútil! –repetía desconsolada.

–Nunca se vuela al primer intento, pero lo conseguirás. Te lo prometo –maulló Zorbas lamiéndole la cabeza.

Sabelotodo trataba de encontrar el fallo revisando una y otra vez la máquina de volar de Leonardo.

8
Los gatos deciden romper el tabú

Diecisiete veces intentó Afortunada levantar el vuelo, y diecisiete veces terminó en el suelo luego de haber conseguido elevarse unos pocos centímetros.

Sabelotodo, más flaco que de costumbre, se había arrancado los pelos del bigote después de los doce primeros fracasos, y con maullidos temblorosos intentaba disculparse:

–No lo entiendo. He revisado la teoría del vuelo concienzudamente, he comparado las instrucciones de Leonardo con todo lo que sale en la parte dedicada a la aerodinámica, tomo uno, letra «A» de la enciclopedia, y sin embargo no lo conseguimos. ¡Es terrible! ¡Terrible!

Los gatos aceptaban sus explicaciones, y toda su atención se centraba en Afortunada, que tras cada intento fallido se tornaba más triste y melancólica.

Después del último fracaso, Colonello decidió suspender los experimentos, pues su experiencia le decía que la gaviota empezaba a perder la confianza en sí misma, y eso era muy peligroso si de verdad quería volar.

–Tal vez no pueda hacerlo –opinó Secretario–. A lo mejor ha vivido demasiado tiempo con nosotros y ha perdido la capacidad de volar.

–Siguiendo las instrucciones técnicas y respetando las leyes de la aerodinámica es posible volar. No olviden que todo está en la enciclopedia –apuntó Sabelotodo.

–¡Por la cola de la raya! –exclamó Barlovento–. ¡Es una gaviota y las gaviotas vuelan!

–Tiene que volar. Se lo prometí a la madre y a ella. Tiene que volar –repitió Zorbas.

–Y cumplir esa promesa nos incumbe a todos –recordó Colonello.

–Reconozcamos que somos incapaces de enseñarle a volar y que tenemos que buscar ayuda allende el mundo de los gatos –sugirió Zorbas.

—Maúlla claro, *caro amico*. ¿Adónde quieres llegar? —preguntó serio Colonello.

—Pido autorización para romper el tabú por primera y última vez en mi vida —solicitó Zorbas mirando a los ojos a sus compañeros.

—¡Romper el tabú! —maullaron los gatos sacando las garras y erizando los lomos.

«Maullar el idioma de los humanos es tabú.» Así rezaba la ley de los gatos, y no porque ellos no tuvieran interés en comunicarse con los humanos. El gran riesgo estaba en la respuesta que darían los humanos. ¿Qué harían con un gato hablador? Con toda seguridad lo encerrarían en una jaula para someterlo a toda clase de pruebas estúpidas, porque los humanos son generalmente incapaces de aceptar que un ser diferente a ellos los entienda y trate de darse a entender. Los gatos conocían, por ejemplo, la triste suerte de los delfines, que se habían comportado de manera inteligente con los humanos y éstos los habían condenado a hacer de payasos en espectáculos acuáticos. Y sabían también de las humillaciones a que los humanos someten a cualquier animal que se muestre inteligente y receptivo con ellos. Por ejemplo, los leones, los grandes felinos obligados a vivir entre rejas y a que un cretino les meta la cabeza en las fauces; o los papagayos, encerrados en jaulas repitiendo necedades. De tal manera que maullar en el lenguaje de los humanos era un riesgo muy grande para los gatos.

–Quédate junto a Afortunada. Nosotros nos retiramos a debatir tu petición –ordenó Colonello.

Largas horas duró la reunión a puerta cerrada de los gatos. Largas horas durante las cuales Zorbas permaneció echado junto a la gaviota, que no ocultaba la tristeza que le producía el no saber volar.

Era ya de noche cuando acabaron. Zorbas se acercó a ellos para conocer la decisión.

–Los gatos del puerto te autorizamos a romper el tabú por una sola vez. Maullarás con un solo humano, pero antes decidiremos entre todos con cuál de ellos –declaró solemne Colonello.

9
La elección del humano

No fue fácil decidir con qué humano mau-
llaría Zorbas. Los gatos hicieron una lista de
todos los que conocían, y fueron descartán-
dolos uno tras otro.

–René, el *chef* de cocina, es sin duda un
humano justo y bondadoso. Siempre nos reserva una porción de sus especialidades, las
que Secretario y yo devoramos con placer.
Pero el buen René sólo entiende de especias y
peroles, y no nos sería de gran ayuda en este
caso –afirmó Colonello.

–Harry también es buena persona. Com-
prensivo y amable con todo el mundo, incluso
con Matías, al que disculpa tropelías terribles,

¡terribles!, como bañarse en pachulí, ese perfume que huele terrible, ¡terrible! Además Harry sabe mucho de mar y navegación, pero de vuelo creo que no tiene la menor idea –comentó Sabelotodo.

–Carlo, el jefe de mozos del restaurante, asegura que le pertenezco y yo dejo que lo crea porque es un buen tipo. Lamentablemente él entiende de futbol, baloncesto, voleibol, carreras de caballos, boxeo y muchos deportes más, pero jamás le he oído hablar de vuelo –informó Secretario.

–¡Por los rizos de la anémona! Mi capitán es un humano dulcísimo, tanto que en su última pelea en un bar de Amberes se enfrentó a doce tipos que lo ofendieron y sólo dejó fuera de combate a la mitad. Además, siente vértigo hasta cuando se sube a una silla. ¡Por los tentáculos del pulpo! No creo que nos sirva –decidió Barlovento.

–El niño de mi casa me entendería. Pero está de vacaciones, ¿y qué puede saber un niño de volar? –maulló Zorbas.

–*Porca miseria!,* se nos acabó la lista –rezongó Colonello.

–No. Hay un humano que no está en la lista –indicó Zorbas–. El que vive donde Bubulina.

Bubulina era una bonita gata blanquinegra que pasaba largas horas entre las macetas de flores de una terraza. Todos los gatos del puerto pasaban lentamente frente a ella, luciendo la elasticidad de sus cuerpos, el brillo de sus pieles prolijamente aseadas, la longitud de sus bigotes, el garbo de sus rabos tiesos, con intención de impresionarla, pero Bubulina se mostraba indiferente y no aceptaba más que el cariño de un humano que se instalaba en la terraza frente a una máquina de escribir.

Era un humano extraño, que a veces reía después de leer lo que acababa de escribir, y otras veces arrugaba los folios sin leerlos. Su terraza estaba siempre envuelta por una música suave y melancólica que adormecía a Bubulina, y provocaba hondos suspiros a los gatos que pasaban por allí.

–¿El humano de Bubulina? ¿Por qué él? –consultó Colonello.

–No lo sé. Ese humano me inspira confianza –reconoció Zorbas–. Le he oído leer lo que escribe. Son hermosas palabras que alegran o entristecen, pero siempre producen placer y suscitan deseos de seguir escuchando.

–¡Un poeta! Lo que ese humano hace se

llama poesía. Tomo diecisiete, letra «P» de la enciclopedia –aseguró Sabelotodo.

–¿Y qué te lleva a pensar que ese humano sabe volar? –quiso saber Secretario.

–Tal vez no sepa volar con alas de pájaro, pero al escucharlo siempre he pensado que vuela con sus palabras –respondió Zorbas.

–Los que estén de acuerdo con que Zorbas maúlle con el humano de Bubulina que levanten la pata derecha –ordenó Colonello.

Y así fue como le autorizaron a maullar con el poeta.

10
Una gata, un gato y un poeta

Zorbas emprendió el camino por los tejados hasta llegar a la terraza del humano elegido. Al ver a Bubulina recostada entre las macetas suspiró antes de maullar.

–Bubulina, no te alarmes. Estoy aquí arriba.

–¿Qué quieres? ¿Quién eres? –preguntó alarmada la gata.

–No te vayas, por favor. Me llamo Zorbas y vivo cerca de aquí. Necesito que me ayudes. ¿Puedo bajar?

La gata le hizo un gesto con la cabeza. Zorbas saltó hasta la terraza y se sentó sobre las patas traseras. Bubulina se acercó a olerlo.

–Hueles a libro, a humedad, a ropa vieja, a pájaro, a polvo, pero tu pelo está limpio –aprobó la gata.

–Son los olores del bazar de Harry. No te extrañes si también huelo a chimpancé –le advirtió Zorbas.

Una suave música llegaba hasta la terraza.

–Qué bonita música –comentó Zorbas.

–Vivaldi. *Las cuatro estaciones.* ¿Qué quieres de mí? –quiso saber Bubulina.

–Que me invites a pasar y me presentes a tu humano –contestó Zorbas.

–Imposible. Está trabajando y nadie, ni siquiera yo, puede importunarlo –respondió la gata.

–Por favor, es algo muy urgente. Te lo pido en nombre de todos los gatos del puerto –imploró Zorbas.

–¿Para qué quieres verlo? –preguntó Bubulina con desconfianza.

–Debo maullar con él –respondió Zorbas con decisión.

–¡Eso es tabú! –maulló Bubulina con la piel erizada–. ¡Lárgate de aquí!

–No. Y si no quieres invitarme a pasar, ¡pues que venga él! ¿Te gusta el rock, gatita?

En el interior, el humano tecleaba en su

máquina de escribir. Se sentía dichoso porque estaba a punto de terminar un poema y los versos le salían con una fluidez asombrosa. De pronto, desde la terraza le llegaron los maullidos de un gato que no era su Bubulina. Eran unos maullidos destemplados y que sin embargo parecían tener cierto ritmo. Entre molesto e intrigado salió a la terraza y tuvo que restregarse los ojos para creer lo que veía.

Bubulina se tapaba las orejas con las dos patas delanteras sobre la cabeza y, frente a ella, un gato grande, negro y gordo, sentado sobre la base del espinazo y la espalda apoyada en una maceta, sostenía el rabo con una pata delantera como si fuera un contrabajo y con la otra simulaba rasgar sus cuerdas, mientras soltaba enervantes maullidos.

Repuesto de la sorpresa no pudo reprimir la risa y, cuando se dobló apretándose el vientre de tanto reír, Zorbas aprovechó para colarse en el interior de la casa.

Cuando el humano, todavía muerto de risa, se dio la vuelta, se encontró al gato grande, negro y gordo sentado en un sillón.

–¡Vaya concierto! Eres un seductor muy original, pero me temo que a Bubulina no le gusta tu música. ¡Menudo concierto! –dijo el humano.

–Sé que canto muy mal. Nadie es perfecto –respondió Zorbas en el lenguaje de los humanos.

El humano abrió la boca, se dio un golpe en la cara y apoyó la espalda contra una pared.

–Ha... ha... hablas –exclamó el humano.

–Tú también lo haces y yo no me extraño. Por favor, cálmate –le aconsejó Zorbas.

–U... un ga... gato... que habla –dijo el humano dejándose caer en el sofá.

–No hablo, maúllo, pero en tu idioma. Sé maullar en muchos idiomas –indicó Zorbas.

El humano se llevó las manos a la cabeza y se cubrió los ojos mientras repetía «es el cansancio, es el cansancio». Al retirar las manos el gato grande, negro y gordo seguía en el sillón.

–Son alucinaciones. ¿Verdad que eres una alucinación? –preguntó el humano.

–No, soy un gato de verdad que maúlla contigo –le aseguró Zorbas–. Entre muchos humanos, los gatos del puerto te hemos elegido a ti para confiarte un gran problema, y para que nos ayudes. No estás loco. Yo soy real.

–¿Y dices que maúllas en muchos idiomas? –preguntó incrédulo el humano.

–Supongo que quieres una prueba. Adelante –propuso Zorbas.

–*Buon giorno* –dijo el humano.

–Es tarde. Mejor digamos *buona sera* –corrigió Zorbas.

–*Kalimera* –insistió el humano.

–*Kalispera*, ya te dije que es tarde –volvió a corregir Zorbas.

–*Doberdan!* –gritó el humano.

–*Dobreutra*, ¿me crees ahora? –preguntó Zorbas.

–Sí. Y si todo esto es un sueño, qué importa. Me gusta y quiero seguir soñándolo –respondió el humano.

–Entonces puedo ir al grano –propuso Zorbas.

El humano asintió, pero le pidió respetar el ritual de la conversación de los humanos. Le sirvió al gato un plato de leche, y él se acomodó en el sofá con una copa de coñac en las manos.

–Maúlla, gato –dijo el humano, y Zorbas le refirió la historia de la gaviota, del huevo, de Afortunada y de los infructuosos esfuerzos de los gatos para enseñarle a volar.

–¿Puedes ayudarnos? –consultó Zorbas al terminar su relato.

–Creo que sí. Y esta misma noche –respondió el humano.

–¿Esta misma noche? ¿Estás seguro? –inquirió Zorbas.

–Mira por la ventana, gato. Mira el cielo. ¿Qué ves? –invitó el humano.

–Nubes. Nubes negras. Se acerca una tormenta y muy pronto lloverá –observó Zorbas.

–Pues por eso mismo –dijo el humano.

–No te entiendo. Lo siento, pero no te entiendo –aceptó Zorbas.

Entonces el humano fue hasta su escritorio, tomó un libro y rebuscó entre las páginas.

–Escucha, gato: te leeré algo de un poeta llamado Bernardo Atxaga. Unos versos de un poema titulado «Las gaviotas».

> Pero su pequeño corazón
> –que es el de los equilibristas–
> por nada suspira tanto
> como por esa lluvia tonta
> que casi siempre trae viento,
> que casi siempre trae sol.

–Entiendo. Estaba seguro de que podías ayudarnos –maulló Zorbas saltando del sillón.

Acordaron reunirse a medianoche frente a la puerta del bazar, y el gato grande, negro y gordo corrió a informar a sus compañeros.

11
El vuelo

Una espesa lluvia caía sobre Hamburgo y de los jardines se elevaba el aroma de la tierra húmeda. Brillaba el asfalto de las calles y los anuncios de neón se reflejaban deformes en el suelo mojado. Un hombre enfundado en una gabardina caminaba por una calle solitaria del puerto dirigiendo sus pasos hacia el bazar de Harry.

—¡De ninguna manera! —chilló el chimpancé—. ¡Aunque me claven sus cincuenta garras en el culo yo no les abro la puerta!

—Pero si nadie tiene intención de hacerte daño. Te pedimos un favor, eso es todo —maulló Zorbas.

—El horario de apertura es de nueve de la

mañana a seis de la tarde. Es el reglamento y debe ser respetado –chilló Matías.

–¡Por los bigotes de la morsa! ¿Es que no puedes ser amable una vez en tu vida, macaco? –maulló Barlovento.

–Por favor, señor mono –graznó suplicante Afortunada.

–¡Imposible! El reglamento me prohíbe estirar la mano y correr el cerrojo que ustedes, por no tener dedos, sacos de pulgas, no pueden abrir –chilló con sorna Matías.

–Eres un mono terrible, ¡terrible! –maulló Sabelotodo.

–Hay un humano afuera y está mirando el reloj –maulló Secretario, que atisbaba por una ventana.

–¡Es el poeta! ¡No hay tiempo que perder! –maulló Zorbas corriendo a toda velocidad hacia la ventana.

Las campanas de la iglesia de San Miguel empezaron a tañer los doce toques de medianoche y un ruido de cristales rotos sobresaltó al humano. El gato grande, negro y gordo cayó a la calle en medio de una lluvia de astillas, pero se incorporó sin preocuparse de las heridas en la cabeza y saltó de nuevo hacia la ventana por la que había salido.

El humano se acercó en el preciso momento en que una gaviota era alzada por varios gatos hasta el alféizar. Detrás de los gatos, un chimpancé se manoseaba la cara tratando de taparse los ojos, los oídos y la boca al mismo tiempo.

–¡Tómala! Que no se hiera con los cristales –maulló Zorbas.

–Vengan acá, los dos –dijo el humano tomándola en sus brazos.

El humano se alejó presuroso de la ventana del bazar. Bajo la gabardina llevaba a un gato grande, negro y gordo, y a una gaviota de plumas color plata.

–¡Canallas! ¡Bandoleros! ¡Pagarán por esto! –chilló el chimpancé.

–Te lo buscaste. ¿Y sabes qué pensará Harry mañana? Que tú rompiste el vidrio –maulló Secretario.

–Caramba, por esta vez acierta usted al quitarme los maullidos de la boca –maulló Colonello.

–¡Por los colmillos de la morena! ¡Al tejado! ¡Veremos volar a nuestra Afortunada! –maulló Barlovento.

El gato grande, negro y gordo y la gaviota iban muy cómodos bajo la gabardina, sintiendo el calor del cuerpo del humano, que caminaba con pasos rápidos y seguros. Sentían latir sus tres corazones a ritmos diferentes, pero con la misma intensidad.

–Gato, ¿te has herido? –preguntó el humano al ver unas manchas de sangre en las solapas de su gabardina.

–No tiene importancia. ¿Adónde vamos? –preguntó Zorbas.

–¿Entiendes al humano? –graznó Afortunada.

–Sí. Y es una buena persona que te ayudará a volar –le aseguró Zorbas.

–¿Entiendes a la gaviota? –preguntó el humano.

–Dime adónde vamos –insistió Zorbas.

–Ya no vamos, hemos llegado –respondió el humano.

Zorbas asomó la cabeza. Estaban frente a un edificio alto. Alzó la vista y reconoció la torre de San Miguel iluminada por varios reflectores. Los haces de luz daban de lleno en su esbelta estructura forrada de planchas de cobre, que el tiempo, la lluvia y los vientos habían cubierto de una pátina verde.

–Las puertas están cerradas –maulló Zorbas.

–No todas –dijo el humano–. Suelo venir aquí a fumar y pensar en soledad durante las noches de tormenta. Conozco una entrada para nosotros.

Dieron un rodeo y entraron por una pequeña puerta lateral que el humano abrió con la ayuda de una navaja. De un bolsillo sacó una linterna y, alumbrados por su delgado rayo de luz, empezaron a subir una escalera de caracol que parecía interminable.

–Tengo miedo –graznó Afortunada.

–Pero quieres volar, ¿verdad? –maulló Zorbas.

Desde el campanario de San Miguel se veía toda la ciudad. La lluvia envolvía la torre de la televisión y, en el puerto, las grúas parecían animales en reposo.

–Mira, allá se ve el bazar de Harry. Allá están nuestros amigos –maulló Zorbas.

–¡Tengo miedo! ¡Mami! –graznó Afortunada.

Zorbas saltó hasta la baranda que protegía el campanario. Abajo, los autos se movían como insectos de ojos brillantes. El humano tomó a la gaviota en sus manos.

–¡No! ¡Tengo miedo! ¡Zorbas! ¡Zorbas! –graznó picoteando las manos del humano.

–¡Espera ! Déjala en la baranda –maulló Zorbas.

–No pensaba tirarla –dijo el humano.

–Vas a volar, Afortunada. Respira. Siente la lluvia. Es agua. En tu vida tendrás muchos motivos para ser feliz, uno de ellos se llama agua, otro se llama viento, otro se llama sol y siempre llega como una recompensa luego de la lluvia. Siente la lluvia. Abre las alas –maulló Zorbas.

La gaviota extendió las alas. Los reflectores la bañaban de luz y la lluvia le salpicaba de perlas las plumas. El humano y el gato la vieron alzar la cabeza con los ojos cerrados.

–La lluvia, el agua. ¡Me gusta! –graznó.

–Vas a volar –maulló Zorbas.

–Te quiero. Eres un gato muy bueno –graznó acercándose al borde de la baranda.

–Vas a volar. Todo el cielo será tuyo –maulló Zorbas.

–Nunca te olvidaré. Ni a los otros gatos –graznó ya con la mitad de las patas fuera de la baranda, porque, como decían los versos de Atxaga, su pequeño corazón era el de los equilibristas.

–¡Vuela! –maulló Zorbas estirando una pata y tocándola apenas.

Afortunada desapareció de su vista, y el humano y el gato temieron lo peor. Había caído como una piedra. Con la respiración en suspenso asomaron las cabezas por encima de la baranda, y entonces la vieron, batiendo las alas, sobrevolando el parque de estacionamiento, y luego siguieron su vuelo hasta la altura, hasta más allá de la veleta de oro que coronaba la singular belleza de San Miguel.

Afortunada volaba solitaria en la noche hamburgueña. Se alejaba batiendo enérgica las alas hasta elevarse sobre las grúas del puerto, sobre los mástiles de los barcos, y enseguida regresaba planeando, girando una y otra vez en torno al campanario de la iglesia.

–¡Vuelo! ¡Zorbas! ¡Puedo volar! –graznaba eufórica desde la vastedad del cielo gris.

El humano acarició el lomo del gato.

–Bueno, gato, lo hemos conseguido –dijo suspirando.

–Sí, al borde del vacío comprendió lo más importante –maulló Zorbas.

–¿Ah, sí? ¿Y qué es lo que comprendió? –preguntó el humano.

–Que sólo vuela el que se atreve a hacerlo –maulló Zorbas.

–Supongo que ahora te estorba mi compañía. Te espero abajo –se despidió el humano.

Zorbas permaneció allí contemplándola, hasta que no supo si fueron las gotas de lluvia o las lágrimas las que empañaron sus ojos amarillos de gato grande, negro y gordo, de gato bueno, de gato noble, de gato de puerto.

Laufenburg, Selva Negra, 1996

Colección Maxi

OSCURA MONÓTONA SANGRE
Sergio Olguín

LA HIERBA ROJA
Boris Vian

EL ARRANCACORAZONES
Boris Vian

LA FRAGILIDAD DE LOS CUERPOS
Sergio Olguín

UN ÁNGEL IMPURO
Henning Mankell

LA SUBASTA DEL LOTE 49
Thomas Pynchon

LA CUARENTENA
J. M. G. Le Clézio

EL PALACIO DE LAS BLANQUÍSIMAS MOFETAS
Reinaldo Arenas

C DE CADÁVER
Sue Grafton

LA MADRIGUERA
Tununa Mercado

B DE BESTIAS
Sue Grafton